Tudur Budr

Cracyrs!

I Mrs Burns (mam iawn Tudur) a phawb yn Ysgol Gynradd yr Esgob Martin ~ D R

I blant Ysgol Iau Radcliffe on Trent ~ A M

Cyhoeddwyd yn 2008 gan Stripes Publishing,
argraffnod Magi Publications, 1 The Coda Centre,
189 Munster Road, Llundain SW6 6AW

Teitl gwreiddiol – *Dirty Bertie: Crackers!*

Cyhoeddwyd yn Gymraeg yn 2010 gan
Wasg Gomer, Llandysul, Ceredigion SA44 4JL
www.gomer.co.uk

ISBN 978 1 84851 186 6

Dymuna'r cyhoeddwyr gydnabod cymorth
Adrannau Cyngor Llyfrau Cymru.

Argraffwyd a rhwymwyd yng Nghymru gan
Wasg Gomer, Llandysul, Ceredigion SA44 4JL

DAVID ROBERTS · ALAN MACDONALD

Addasiad Gwenno Mair Davies

Gomer

Cynnwys

SEREN!

PENNOD 1

Rhuthrodd Tudur i'r gegin.

'Ahaaar, gyd-forwyr!' bloeddiodd.

Roedd yn gwisgo'i het fôr-leidr a'i batshyn llygad ac yn chwifio clamp o gleddyf mawr o'i flaen.

'Tudur, paid â chwarae fel 'na fan hyn,' meddai Mam yn flinedig.

'Dwi'n ymarfer,' eglurodd Tudur. 'Mae'r clyweliadau ar gyfer drama Nadolig yr ysgol heddiw.'

Tudur Budr

Roedd cyngerdd Nadolig yr ysgol yn cael ei gynnal bob blwyddyn yn Eglwys Sant Wynfford. Roedd yn cynnwys darlleniadau a charolau, ond yr uchafbwynt bob tro oedd y ddrama. Doedd Tudur erioed wedi cael ei ddewis i chwarae un o'r prif rannau, ond eleni roedd pethau am fod yn wahanol.

'Ro'n i'n meddwl mai drama'r geni oeddech chi'n 'i pherfformio,' meddai Mam.

'Ia,' meddai Tudur. 'Rydw i am fod yn un o'r tri brenin.'

'Yn gwisgo'r wisg yna?'

'Fi ydi brenin y môr-ladron,' meddai Tudur.

Rowliodd Mam ei llygaid. 'Tudur, does yna ddim môr-ladron yn stori'r Nadolig.'

'Dwi'n gwybod hynny, ond mae o yn bosib. Yn lle dim ond dilyn seren, mi fyddai'n bosib cael brwydr fawr rhwng y môr-ladron a'r lladron.'

'Pa ladron?'

'Y rhai sy'n ymladd yn erbyn y môr-ladron,' atebodd Tudur.

'Tudur, fedri di ddim newid y stori i dy siwtio dy hun!'

'Pam ddim?' holodd Tudur. 'Mae pawb wedi clywed y stori o'r blaen.'

'A ph'run bynnag,' meddai Mam, 'dwyt ti ddim yn debygol o gael unrhyw ran o gwbl os gwnaiff Miss Jones dy weld di yn y wisg yna.'

'Nid Miss Jones sy'n gyfrifol am y sioe eleni,' atebodd Tudur. 'Miss Annwyl sydd wrthi.'

Tudur Budr

Miss Annwyl oedd un o'r aelodau staff yn newydd yn ysgol Tudur, ac roedd hynny'n egluro pam ei bod hi wedi cytuno i gyfarwyddo'r ddrama. Roedd holl athrawon eraill yr ysgol yn osgoi gwneud hynny fel y pla.

'Blant, blant!' meddai, gan glapio'i dwylo. 'Beth am i ni ddechrau? Rwân 'te, pwy fyddai'n hoffi cael clyweliad yn gyntaf?'

Saethodd dwsin o ddwylo i fyny i'r awyr. Dewisodd Miss Annwyl y bachgen oedd yn gwisgo patshyn llygad.

'A phwy wyt ti?'

'Tudur,' meddai Tudur.

'Wel, Tudur, beth am i ti dynnu dy het cyn dechrau.'

'Mae o'n rhan o 'ngwisg i,' meddai Tudur.

'Mae hynny'n hyfryd, ond does dim môr-ladron yn y stori hon. Mae'n sôn am hanes y baban Iesu'n cael ei eni mewn preseb.'

'Mae yna dri brenin yn y stori,' meddai Tudur.

'Oes, oes wir.'

'Wel, fi ydi brenin y môr-ladron.'

Rhedodd Miss Annwyl ei llaw drwy ei gwallt. 'Beth am i ti ddarllen y rhan, ac fe gawn ni weld sut mae pethau'n mynd, iawn?'

Camodd Tudur i'r llwyfan. Chwifiodd ei gleddyf yn yr awyr.

'Ahaaar!' meddai yn ei acen fôr-leidr orau. 'Nyni ydi'r tri brenin, ahaaar, a nyni sy'n dilyn y seren . . .'

Cododd Miss Annwyl ei llaw i'w stopio. 'Efallai y byddai'n well heb y llais doniol.'

Gwgodd Tudur. 'Ond dyna sut mae môr-ladron yn siarad,' meddai. 'Tydi o ddim i fod i swnio'n ddoniol.'

'Mi wn i,' meddai Miss Annwyl. 'Ond wnei di roi cynnig ar ddarllen y rhan yn dy lais naturiol dy hun? Os gweli di'n dda.'

Camodd Tudur oddi ar y llwyfan – ac yna fe wnaeth o gamu yn ei ôl. 'Ni ydi'r tri brenin ac rydym ni'n dilyn y seren . . .'

Chwifiodd ei gleddyf ychydig yn rhy wyllt.

'Aw!' llefodd rhywun. 'Bu bron i ti 'mhrocio i'n fy llygad!'

Gelyn pennaf Tudur oedd yno, Dyfan-Gwybod-y-Cyfan.

'Nid fy mai i oedd hynny,' meddai Tudur.

'Sut mae disgwyl i mi actio a tithau'n sefyll mor agos ata i.'

Rhoddodd hergwd sydyn i Dyfan. Gwthiodd Dyfan o'n ôl, gan achosi i het Tudur syrthio oddi ar ei ben. Cododd Tudur ei gleddyf.

'MISS! Mae Tudur yn ymladd!' cwynodd Dyfan.

'Dyna ddigon, Tudur. Tyrd i eistedd,' meddai Miss Annwyl.

Eisteddodd Tudur. Ar y cyfan, roedd yn teimlo fod ei glyweliad wedi mynd yn eithaf da. Roedd o'n siŵr o gael rhan brenin y môr-ladron. Wedi'r cwbl, fo oedd yr unig un wnaeth drafferthu dod i'r clyweliad mewn gwisg addas.

PENNOD 2

Y diwrnod wedyn, rhannodd Miss Annwyl y sgriptiau. Roedd Tudur yn awyddus iawn i glywed ei enw.

'Siôn, Siân a Dyfan, chi fydd y brenhinoedd. Rwy'n siŵr y byddwch chi'n wych.'

Fedrai Tudur ddim credu'r peth. Dyfan-Gwybod-y-Cyfan – yn frenin? Doedd ganddo fo ddim patshyn llygad hyd yn oed!

Tudur Budr

Sleifiodd Dyfan tuag at Tudur.

'Pa ran gefaist ti, Tudur?'

'Bugail.'

'Dim ond bugail? Druan ohonot ti!'

'Mae'n well na bod yn hen frenin drewllyd,' meddai Tudur.

'Faint o linellau sydd gen ti i'w dysgu?'

Cododd Tudur ei ysgwyddau. 'Dydw i ddim wedi edrych eto.'

'Dwi wedi edrych,' meddai Dyfan. 'Mae gen ti un – ar dudalen 15. Mae gen i gannoedd. Edrycha, rydw i ar bob tudalen bron.' Gwthiodd ei sgript o dan drwyn Tudur.

Fe wnaeth Tudur ei anwybyddu.

'Ac mae Miss Annwyl eisiau i mi ganu unawd,' rhygnodd Dyfan yn ei flaen. 'Dywedodd hi fod gen i lais hyfryd.'

'Bechod fod dy wyneb di mor hyll,' atebodd Tudur.

Daeth hi'n amser iddyn nhw ymarfer. Roedd gan Dyfan glogyn piws ac roedd ei goron

aur yn pefrio o emau. Gwisgai Tudur liain sychu llestri am ei ben.

'Nawr,' meddai Miss Annwyl. 'Mae hi'n nos. Yn dawel nos, sanctaidd yw'r nos. Mae'r angylion yn ysgafndroedio i mewn ac yn ymgasglu o gwmpas y stabl. Frenhinoedd, rhowch eich anrhegion wrth y preseb. Fugeiliaid . . . ble mae'r bugeiliaid?'

Fe ddaeth pen Tudur i'r golwg o'r tu ôl i'r llen. 'Sori, Miss, rydym ni wedi colli un ddafad.'

Gwgodd Miss Annwyl. 'Does gennych chi ddim defaid.'

'Defaid dychmygol ydyn nhw,' meddai Tudur. 'Fe wnes i gyfri chwech ohonyn nhw ond dim ond pump sydd yma rŵan.'

'Paid â phoeni, tyrd â nhw i mewn a dewch o amgylch y preseb.'

Daeth Tudur, Darren ac Eifion i'r llwyfan, gan frefu 'Meee' yn uchel. Roedd yna ychydig o wthio rhwng y brenhinoedd a'r bugeiliaid, gan fod pawb eisiau bod yn y rhes flaen. Arhosodd Miss Annwyl i bawb setlo.

'Nawr, mae'r golau'n pylu ac mae Dyfan yn dod i flaen y llwyfan,' meddai.

Gwenodd Dyfan yn llawen, wrth edrych ar Tudur. Camodd yn ei flaen, ac anadlu'n ddwfn.

'Dawel nos, saaaanctaidd nos!'

'Hyfryd!' ochneidiodd Miss Annwyl, gan ddal ei dwylo'n dynn wrth ei cheg.

'Wele fry seren dlos.'

'MEEE!'

'Pwy sy'n gwneud y sŵn brefu 'na?' gwaeddodd Miss Annwyl.

Cododd Siân ei llaw. 'Tudur sydd wrthi, Miss!'

'Tudur!' meddai Miss Annwyl.

'Sori, Miss, y ddafad oedd wedi mynd ar goll sy'n brefu,' meddai Tudur. 'Mae hi wedi dod yn ei hôl.'

Rhythodd Dyfan-Gwybod-y-Cyfan arno cyn dechrau canu unwaith eto.

'Dawel nos, sancta–'

'Mae gen i syniad, Miss!' mentrodd Tudur eto.

'Beth nawr, Tudur?' ochneidiodd Miss Annwyl.

'Beth am i ni gael ci defaid?'

'Ci dychmygol wyt ti'n feddwl?'

'Na, un go iawn,' meddai Tudur. 'Gallai'r ci gadw trefn ar y defaid.'

'Syniad da, Tudur, ond does dim ci defaid gyda ni.'

'Beth am Chwiffiwr, fy nghi i?' meddai Tudur.

'Grêt!' meddai Darren.

'Gwych!' meddai Eifion.

Roedd Miss Annwyl yn edrych yn rhwystredig. 'Dydw i ddim yn credu y byddai hynny'n syniad da iawn. Chei di ddim dod â chi i'r eglwys.'

'Pam ddim?' holodd Tudur.

'Achos ... wel ... beth petai e'n camymddwyn?'

'Wnaiff o ddim, Miss. Mae Chwiffiwr wedi bod i ddosbarthiadau hyfforddi cŵn. Mae o wedi cael tystysgrif.'

'Er hynny ...' roedd golwg amheus ar wyneb Miss Annwyl.

'Plis, Miss!' ymbiliodd Tudur. 'Mi fuasai o'n berffaith.'

Petrusodd Miss Annwyl. 'Rho amser i mi feddwl am y peth,' meddai.

'Grêt!' meddai Tudur.

PENNOD 3

Gyda chymaint o bethau i'w gwneud, buan iawn yr anghofiodd Miss Annwyl am syniad Tudur. Ond doedd Tudur heb anghofio. Yn ei feddwl o, roedd y penderfyniad wedi'i wneud. Os nad oedd Miss Annwyl wedi dweud y gair 'Na', mae'n rhaid bod hynny'n golygu 'Iawn'.

Ar noson y ddrama cyrhaeddodd Tudur yr eglwys yn gynnar. Roedd ei ŵn gwisgo sgwarog amdano a lliain sychu llestri am ei ben.

Roedd Chwiffiwr yn dynn wrth ei sodlau. Doedd Tudur heb ofyn i Mam na Dad os câi Chwiffiwr fod yn y ddrama – roedd o am iddo fod yn syrpréis iddyn nhw.

Cafodd Miss Jones ychydig o syrpréis, hefyd. Wrth iddi ddod i mewn i'r festri, bu bron iddi faglu dros Chwiffiwr.

'SIŴŴ!' sgrechiodd. 'DOS I FFWRDD ODDI WRTHA I, Y BWYSTFIL!'

'Dim ond Chwiffiwr ydi o, Miss. Wnaiff o mo'ch brifo chi,' meddai Tudur.

Trodd Miss Jones yn welw. Doedd hi ddim fel petai'n hoff o gŵn. Roedd hi wedi gwthio ei hun yn dynn yn erbyn y wal fel petai'n meddwl fod Chwiffiwr am ei bwyta hi.

'Tudur! Dos â fo o 'ma!' crawciodd.

'Ond mae o'n rhan o'r ddrama.'

Ysgydwodd Chwiffiwr ei gynffon a chyfarth yn llawn cyffro.

Dechreuodd Miss Jones grynu. 'Paid â bod yn wirion!' meddai. 'Rŵan, siŵŵ!'

'Ond mae o, Miss, wir i chi! Fe ddywedodd Miss Annwyl hynny. Yn do, Miss?'

Fe wnaeth Miss Jones droi ar Miss Annwyl, a oedd wrthi'n pinio hem ffrog Mair.

'O diar, dwi'n credu fod yna gamddealltwriaeth wedi digwydd,' meddai Miss Annwyl. 'Fe wnaeth Tudur ofyn os câi ddod â'i gi, ond fe ddywedais i . . .'

'Does dim ots gen i beth ddywedoch chi!' torrodd Miss Jones ar ei thraws. 'Mae hyn yn gwbl afresymol! Dydw i ddim am gael ci yn difetha'r perfformiad. Rŵan, dos â fo adre.'

Y eiliad honno, daeth sŵn cnoc ar y drws a daeth pen y ficer i'r golwg o'r tu ôl i'r drws.

'Pawb yn barod?' gofynnodd, yn wên o glust i glust. 'Mae'r gynulleidfa yn eu seddi.'

'O diar!' meddai Miss Annwyl, gan syllu ar Chwiffiwr. 'Dwi'n siŵr y bydd y ci ar ei orau.'

Rhythodd Miss Jones ar Tudur. 'Mae'n well iddo fo fod ar ei orau. Os bydd y ci yna'n gwneud y sŵn lleiaf, ti fydd yn gyfrifol am y canlyniadau, Tudur. Wyt ti'n deall?'

Tudur Budr

Roedd rhieni Tudur wedi cael seddi yn y rhes flaen.

Dechreuodd y ddrama. Daeth Dyfan-Gwybod-y-Cyfan ar y llwyfan yn gwisgo'i goron aur ac yn syllu ar y sêr yn y dwyrain drwy ei delesgop. Yna, canodd côr y babanod *Ebol Bychan* wrth i Mair a Joseff grwydro o amgylch yr eglwys ar eu ffordd i Fethlehem.

O'r diwedd, roedd hi'n amser i'r bugeiliaid ddod i mewn.

Daeth Tudur, Darren ac Eifion i'r llwyfan yn gafael yn eu ffyn, a phrin yr oedd eu llygaid i'w gweld dan y llieiniau sychu llestri.

Trodd Dad yn welw o weld pwy oedd hefo nhw. ''Rargol fawr!' sibrydodd. 'Ai Chwiffiwr sydd ar y llwyfan?'

'Does bosib!' meddai Mam.

'Ia!' sibrydodd Dad. 'Beth ar wyneb y ddaear mae o'n 'i wneud yma? Ro'n i'n meddwl ei fod o gartre.'

'Wnaeth Tudur ddim sôn gair am y peth!'

'Naddo,' meddai Dad yn sych. 'Naddo, mae'n siŵr.'

Roedd golwg nerfus ar wynebau'r ddau wrth iddyn nhw wylio Chwiffiwr yn croesi'r llwyfan ac yn sniffian o amgylch seddi'r côr.

Roedd y ddau'n aros iddo chwyrnu neu gyfarth neu wneud rhywbeth afiach ar y llawr. Ond roedd Chwiffiwr yn ymddwyn fel petai wedi actio ar hyd ei fywyd. Wrth i Tudur eistedd, eisteddai Chwiffiwr hefyd gan orffwys ei ben ar liniau Tudur.

'Oooooo!' ebychodd y gynulleidfa.

O'r eiliad honno ymlaen, Chwiffiwr oedd seren y sioe. Dilynodd y bugeiliaid ar hyd y ffordd i Fethlehem, gan ysgwyd ei gynffon pan roddodd gŵr y llety fwythau iddo. Chwarddodd y plant yn y gynulleidfa. Gwenodd y rhieni. Fe wnaeth hyd yn oed Miss Jones stopio gwgu.

Aeth popeth yn berffaith nes cyrraedd

yr olygfa olaf. Ysgafndroediodd yr angylion ar y llwyfan, rhoddodd y brenhinoedd eu rhoddion wrth y preseb, penliniodd y bugeiliaid a gorweddodd Chwiffiwr wrth ymyl Tudur. Pylodd Miss Jones y goleuadau a dechreuodd Miss Annwyl blincian-ploncian ar y piano. Hon oedd eiliad fawr Dyfan-Gwybod-y-Cyfan.

'Dawel nos, saaaanctaidd nos!' canodd Dyfan.

Saethodd clustiau Chwiffiwr i fyny i'r awyr.

'Wele fry seren dlos . . .'

'BOWWWW! WOWWWW!' udodd Chwiffiwr, gan ymuno yn y gân.

Ceisiodd Tudur roi ei law dros drwyn Chwiffiwr i'w dawelu, ond fe wnaeth hynny i'r gynulleidfa ddechrau chwerthin.

'Dal ati!' sibrydodd Miss Annwyl. 'Dal ati!' Trawodd nodau'r barrau agoriadol yn galed unwaith eto.

'Dawel nos, saaaanctaidd nos,' canodd Dyfan. 'Wele fry . . .'

'BOWWWW! WOWWWW! BOWWWWWW!' cyfarthodd Chwiffiwr, gan godi ei drwyn i'r awyr.

Roedd y gynulleidfa yn rowlio chwerthin. Canodd Dyfan yn uwch.

'DAWEL NOS . . . !'

Udodd Chwiffiwr yn uwch fyth.

Collodd Dyfan ei dymer a thaflu ei anrheg at ben Chwiffiwr. Aeth yr anrheg heibio i ben Chwiffiwr a bownsio oddi ar un Tudur.

'Aw!' meddai'n uchel.

Gwthiodd Tudur Dyfan yn ei gefn gyda'i ffon.

'AWWWW!' baglodd Dyfan yn ei flaen a disgyn i ganol rhes flaen y gynulleidfa. Dringodd yn ôl ar y llwyfan, yn goch o gynddaredd.

'AMDANYN NHW!' bloeddiodd.

'AMDANYN NHW!' bloeddiodd Tudur yn ôl.

Rhuthrodd y brenhinoedd tuag at y bugeiliaid.

Rhuthrodd y bugeiliaid tuag at y brenhinoedd.

Sathrwyd ar goronau. Rhwygwyd llieiniau sychu llestri. Llamodd Chwiffiwr o amgylch y llwyfan, gan gyfarth yn llawen. Cafodd Tudur gipolwg ar wyneb Miss Jones wrth iddo wyro'i ben i osgoi sandal a oedd yn hedfan drwy'r awyr. Roedd hi'n edrych fel petai ar fin ffrwydro.

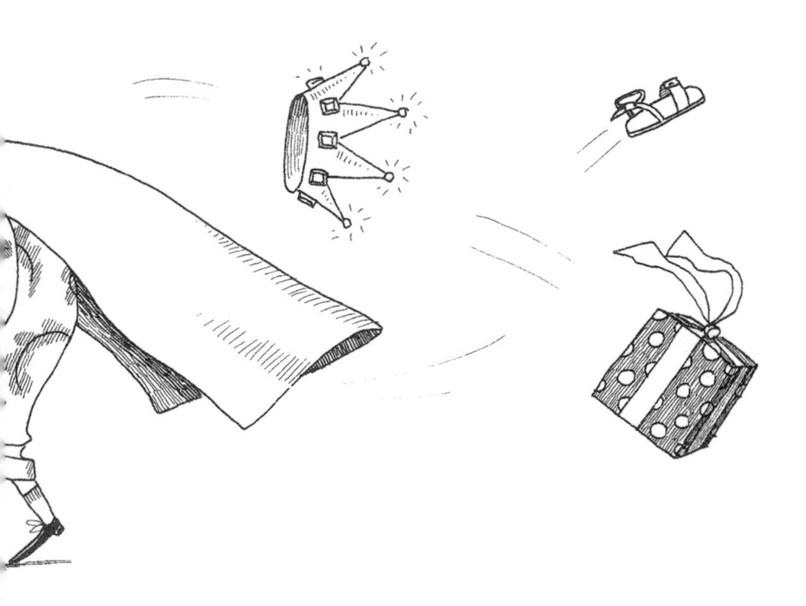

PENNOD 4

'Trychinebus!' ochneidiodd Miss Annwyl.

'Byth eto!' addawodd Miss Prydderch.

Roedd y gynulleidfa'n gadael yr eglwys ac yn ei throi hi am adref. Teimlodd Tudur ei bod yn adeg dda iddo yntau sleifio oddi yno, hefyd. Ond yn gyntaf, byddai'n rhaid iddo fynd heibio Miss Jones, a oedd yn sefyll wrth y drws. Tynnodd y lliain sychu llestri dros ei lygaid a cheisio cuddio yng nghanol y llif o bobl.

'TUDUR!' taranodd llais Miss Jones. 'Ga i air.'

Camodd Tudur yn ei ôl. 'Nid fy mai i oedd o . . .' dechreuodd. 'Sut oeddwn i i wybod nad oedd Chwiffiwr yn mynd i hoffi llais canu Dyfan?'

'Fe wnes i dy rybuddio di,' rhuodd Miss Jones. 'Fe wnes i dy rybuddio di, petai–'

Yna'n sydyn, fe stopiodd Miss Jones siarad. Roedd Chwiffiwr wedi trotian draw i ddweud helô. Camodd Miss Jones yn ei hôl, â'i hwyneb wedi troi'n wyn.

'Siŵŵ! Dos o 'ma!' meddai.

'Mae'n iawn. Wnaiff o mo'ch brathu chi; eisiau chwarae y mae o!' meddai Tudur.

Ond doedd Miss Jones ddim eisiau chwarae. Roedd hi'n dal i gamu y ei hôl. Llamodd Chwiffiwr tuag ati eto. Gyda sgrech, dihangodd Miss Jones tua'r festri, gan gau'r drws yn glep ar ei hôl.

'Miss Jones?' meddai Tudur drwy'r drws.

'DOS O 'MA!' gwaeddodd Miss Jones. 'DOS!'

Doedd dim angen dweud hyn ddwywaith wrth Tudur. Gadawodd yr eglwys.

Roedd Darren ac Eifion yn aros amdano y tu allan.

'Wel, beth ddigwyddodd?' holodd Eifion.

'Dim,' meddai Tudur. 'Fe wnaeth hi ddweud wrtha i am fynd.'

'Athrawon!' meddai Darren, gan ysgwyd ei ben.

'Ta waeth,' meddai Eifion, gyda golwg hapus ar ei wyneb, 'mae'r gwyliau Nadolig yn dechrau yfory. Beth wnawn ni?'

Meddyliodd Tudur am eiliad. 'Dwi'n gwybod!' meddai. 'Beth am i ni fynd â Chwiffiwr gyda ni i ganu carolau!'

'Grêt!' meddai Darren.

'Gwych!' meddai Eifion.

'Dwi'n siŵr y buasai Miss Jones wrth ei bodd yn ein clywed ni,' meddai Tudur. 'Oes gan unrhyw un syniad ble mae hi'n byw?'

CORRACH!

PENNOD 1

Roedd Tudur ar bigau'r drain. Roedd Ffair Nadolig yr ysgol yn cael ei chynnal yfory. Mins-peis a siocled. Jariau jam wedi'u llenwi â fferins. Tombola, Twba Lwcus a Dyfalu Pwysau'r Plwm Pwdin. Efallai y byddai Miss Jones yn syrthio oddi ar y llwyfan eto fel y llynedd?

'HO HO HO! NADOLIG LLAWEN!' bloeddiodd y llais.

Cododd Tudur ei ben. Roedd ei dad yn gwisgo siwt goch llachar, esgidiau trymion du a barf o wlân cotwm.

'Wel, beth wyt ti'n 'i feddwl?' gofynnodd.

'Pwy wyt ti i fod?' holodd Tudur.

'Pwy wyt ti'n 'i feddwl? Siôn Corn, siŵr iawn!'

'O,' meddai Tudur.

'Dwi wedi cael y wisg ar gyfer y ffair. Groto Siôn Corn. Dydi Mr Sarrug ddim yn gallu gwneud y gwaith eleni gan ei fod o wedi colli ei lais, felly rydw i wedi cynnig cymryd ei le.'

'Ti fydd Siôn Corn?' meddai Tudur.

'Ia.'

'Yn y ffair? Fy ffair ysgol *i*?'

'Ia. A dweud y gwir ro'n i'n meddwl tybed a fyddet ti'n fodlon helpu?'

'Fi?' meddai Tudur. 'Sut?'

Tudur Budr

Pan oedd rhieni yn gofyn am help, roedd hyn fel arfer yn golygu gosod y bwrdd neu chwynnu'r ardd. Doedden nhw byth eisiau help i orffen bwyta bocs o siocled.

Dangosodd Dad wisg arall i Tudur. Crys-T bach coch a het ffelt werdd.

'Dwi angen corrach,' meddai. 'I helpu yn y groto.'

'O,' meddai Tudur. 'Dim diolch.'

'Tyrd yn dy flaen, Tudur, fe gawn ni hwyl.'

Ysgydwodd Tudur ei ben. Doedd o'n sicr ddim am wisgo gwisg mor wirion a chael pawb yn chwerthin am ei ben.

'Fydd dim rhaid i ti wneud llawer,' meddai Dad. 'Dim ond cymryd yr arian a dangos y ffordd i mewn i'r plant.'

'Pam na fedri di wneud hyn?'

'Gan mai fi ydi Siôn Corn. Mi fydda i'n brysur yn y groto.'

'Wel, mi fydda' innau'n brysur hefyd,' meddai Tudur.

'Yn gwneud beth?'

'Yn mynd o amgylch y ffair.'

'Bydd digon o amser i wneud hynny wedyn,' oedd dadl Dad.

'Diolch, ond dim diolch!' meddai Tudur. Tynnodd Dad ei farf ac ochneidio. 'O wel, mi fydd yn rhaid i mi roi'r anrheg i rywun arall felly.'

Trodd Tudur ei ben i edrych ar ei dad. 'Pa anrheg?'

'Yr un roeddwn i am ei rhoi i ti o'r sach. Mae gen i gannoedd. Rho help llaw i mi fory ac fe gei di ddewis dy anrheg.'

Cymerodd Tudur eiliad i ystyried y peth. Roedd o wrth ei fodd yn derbyn anrhegion a chyda sach gyfan i ddewis ohoni, roedd yn siŵr o gael rhywbeth da.

'Iawn,' meddai. 'Mi wna i'r gwaith. Ga i'r anrheg rŵan?'

Ysgydwodd Dad ei ben. 'O na. Mae'n rhaid i ti helpu yn y ffair yn gyntaf, yna fe gei di dy anrheg.'

Arhosodd Tudur nes iddo glywed ei dad yn tip-tapian ar y cyfrifiadur, ac yna sleifiodd i fyny'r grisiau. Rŵan, lle fyddai Dad yn cuddio sach anferth o anrhegion? Yn dawel bach, aeth i ystafell wely ei rieni a dechrau chwilio a chwalu drwy'r droriau. A-ha! Daeth o hyd i rywbeth wedi'i guddio o dan y gwely. Sach anrhegion Siôn Corn. Llusgodd y sach allan, i ganol y llawr. Roedd yn dew o anrhegion, a phob un wedi'i lapio mewn papur lliw aur. Syllodd Tudur arnynt yn awchus. Fyddai neb yn debygol o sylwi petai o'n cael cip sydyn ar un ohonyn nhw.

RHWYG! Wps! Daeth darn o bapur lapio'n rhydd yn ei law. Craffodd Tudur drwy'r twll yr oedd wedi'i wneud ei hun. Y tu mewn, gallai weld Ffon Hud Tylwythen Deg. Ych! Byddai'n well ganddo gael llond bwced o falwod. Taflodd yr anrheg o'r neilltu.

RHWYG! Jig-so.

RHWYG! Set o binnau ffelt.

RHWYG! Aros funud . . . gwelodd Tudur rywbeth llyfn o liw arian sgleiniog. Tybed a . . . ia wir! Dyna beth oedd o! Wy Arallfydol o'r Blaned Llysnafedd! Roedd Tudur wedi bod yn swnian ar ei rieni i brynu Wy Arallfydol iddo ers wythnosau. Roedd Darren wedi cael un ar ei ben-blwydd. Wrth i chi daflu'r wy i mewn i ddŵr, roedd yna fwystfil arallfydol yn dod allan ohono mewn môr o lysnafedd gwyrdd.

Meddyliodd Tudur yn sydyn. Efallai y gallai gymryd yr wy rŵan a'i guddio yn ei ystafell wely? Na, roedd hynny'n rhy beryglus. Roedd Mam wastad yn sleifio i mewn i'w lofft i'w chlirio. Doedd dim dewis arall ganddo, byddai'n rhaid iddo aros tan yfory a chael yr wy fel gwobr. Ond beth petai yna blentyn barus yn cyrraedd yno o'i flaen ac yn dwyn ei anrheg?

Ar unwaith, cafodd Tudur syniad penigamp. Cymerodd un o'r pinnau ffelt a gwneud cylch mawr coch ar y papur lapio. Byddai'n gallu dweud y gwahaniaeth o hyn ymlaen rhwng yr anrheg hon a'r anrhegion eraill. Glynodd y darnau papur lapio wrth ei gilydd gyda thâp selo a gosod yr anrhegion yn ôl yn y sach. Yn fuan iawn, fo fyddai perchennog yr Wy Arallfydol.

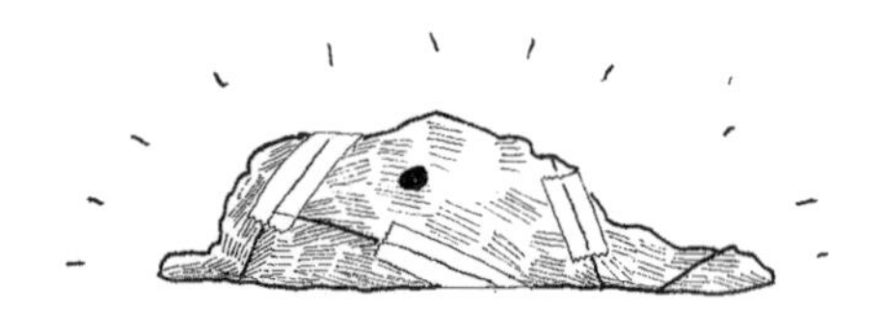

PENNOD 2

'Pam mae'n rhaid i mi wisgo'r ffrog wirion yma?' cwynodd Tudur.

'Nid ffrog ydi hi, ond gwisg corrach,' meddai Dad,

'Ga i fod yn goblyn yn lle hynny?'

'Na! Does gan Siôn Corn ddim coblynnod.' Roedd Dad yn cael trafferth mynd i mewn i'w wisg.

Tudur Budr

Roedd y Ffair Nadolig newydd ddechrau ac roedd pobl eisoes yn heidio i mewn i'r neuadd. Agorodd Tudur y llen rhyw fymryn a syllu'n hiraethus i gyfeiriad y stondinau.

'Ga i fynd am dro yn sydyn i weld beth sydd yma?' ymbiliodd.

'Tudur, ry'n ni wedi trafod hyn unwaith yn barod! Tria dy orau i helpu, wnei di?'

'Dwi *yn* helpu!'

Eisteddodd Tudur ar ei stôl â'i ben yn ei blu. Roedd ei deits yn rhy dynn a'r het bigog yn gwneud iddo edrych fel Nodi. Roedd o'n gobeithio na fyddai Darren nac Eifion yn ei weld wedi'i wisgo fel hyn. Bydden nhw'n siŵr o chwerthin am y peth am wythnosau.

Roedd Groto Siôn Corn wedi cael ei osod y tu ôl i un o'r lenni ar y llwyfan. Dwy sgrin wedi'u haddurno â thinsel a goleuadau bychain oedd yn creu'r fynedfa. Eisteddai Siôn Corn yn ei gadair â'i sach anrhegion wrth ei ymyl. Syniad Tudur oedd cael pentwr bychan o anrhegion ar y llawr. Roedd o wedi gwneud yn siŵr fod yr Wy Arallfydol ar dop y pentwr fel y gallai gadw golwg arno.

Arhosai ciw o blant bach yn llawn cyffro y tu allan. Cafodd Tudur gip sydyn drwy'r llenni.

'Ai corrach wyt ti?' holodd bachgen bach.

'Na, coblyn bach drwg ydw i,' meddai Tudur yn gas.

'Ble mae Siôn Corn?'

'I mewn fan hyn,' meddai Tudur. 'Hanner can ceiniog, plis.'

Rhoddodd y bachgen yr arian iddo. Gollyngodd Tudur yr arian i dun a thynnu'r llen yn ôl.

'Mi gei di ddewis unrhyw anrheg o'r sach,' esboniodd. 'Ond paid â chyffwrdd â'r anrhegion sydd ar y llawr.'

'Pam?' holodd y bachgen.

'Achos mai anrhegion i'r coblynnod ydyn nhw.'

'O.'

'Ac os byddi di'n cymryd un ohonyn nhw, fe fydd y coblynnod yn siŵr o wybod. Ac mi ddôn nhw i chwilio amdanat ti – ganol nos.'

'Naaa!' gwaeddodd y bachgen mewn ofn a rhuthro i'r groto.

'HO HO HO! NADOLIG LLAWEN!' bloeddiodd Siôn Corn.

Mae hyn yn hawdd, tybiodd Tudur. Doedd neb am gael eu bachau budr ar ei Wy Arallfydol o.

PENNOD 3

Roedd sŵn sisial, sisial yn dod o'r stondin tombola. Cafodd Tudur gip sydyn arall o'r tu ôl i'r llen. Gwelodd Dyfan-Gwybod-y-Cyfan yn gadael y Twba Lwcus, â gwobr yn dynn yn ei grafangau.

Roedd Eifion a Darren yn ciwio wrth stondin yr Helfa Drysor. Roedd pawb yn cael amser wrth eu boddau, heblaw amdano fo. Doedd hyn ddim yn deg. Roedd o'n sownd yn Groto Siôn Corn drwy'r prynhawn, a doedd dim diwedd ar y rhes o blant oedd yn aros i ddod i mewn.

'Helô, Tudur!' gwichiodd llais uchel.

Arianrhod Melys oedd yno gyda'i ffrind Lora. Roedd Arianrhod yn byw drws nesaf i Tudur ac roedd hi wedi bod mewn cariad ag o byth ers ei diwrnod cyntaf yn yr ysgol. Roedd Tudur bob amser yn gwneud ei orau glas i gadw'n ddigon pell oddi wrthi.

'Rwyt ti'n edrych yn ddoniol, Tudur!' chwarddodd. 'Ai Twm Siôn Cati wyt ti?'

'Coblyn bach drwg ydw i,' meddai Tudur yn gas.

'Ga i wisgo dy het di?'

'Na,' meddai Tudur. 'Dim ond coblynnod sy'n cael eu gwisgo nhw.'

'Dwi wedi ennill gwobr,' broliodd Arianrhod, gan lyfu ei lolipop. 'Fe wnes i ei hennill yn y Twba Lwcus. Wyt ti wedi ennill gwobr?'

'Na,' meddai Tudur. 'Dw i ddim wedi cael tro ar y Twba Lwcus. Dw i ddim wedi cael tro ar ddim byd.'

'O, druan â Tudur,' meddai Arianrhod yn llawn cydymdeimlad, gan ddal ei law'n annwyl.

Tynnodd Tudur ei law yn ôl yn sydyn. Roedd o wedi cael syniad.

'Pwy sydd eisiau mynd o amgylch stondinau diflas drwy'r dydd, beth bynnag?' meddai. 'Mae bod yn goblyn yn fwy o hwyl o lawer.'

'Ydi o?' gofynnodd Arianrhod.

'Wrth gwrs,' meddai Tudur. 'Yn enwedig os mai ti ydi'r Prif Goblyn a dy fod ti'n gyfrifol am yr holl bres yma.'

'Waw!' meddai Arianrhod, gan syllu ar y pentwr mawr o arian yn y tun.

'*Fi* sy'n gyfrifol am yr anrhegion *hefyd*.'

Goleuodd llygaid Arianrhod. 'Yr anrhegion?'

'Ia. Does neb yn cael cyffwrdd â nhw, heblaw amdana i a Siôn Corn.'

Syllai Arianrhod a Lora arno'n llawn edmygedd.

'Ga i fod yn goblyn, hefyd?' ymbiliodd Arianrhod.

'A fi?' meddai Lora.

'Na,' meddai Tudur. 'Ry'ch chi'n rhy ifanc.'

'Os gweli di'n dda, Tudur?'

'Sori.'

'*Pliiiiis!*'

'O, ocê 'ta,' meddai Tudur. 'Eisteddwch chi yn fan'ma.'

Dringodd Arianrhod i ben y stôl a rhoddodd Tudur ei het corrach am ei phen.

'O hyn ymlaen, ti ydi'r Prif Goblyn,' meddai.

'Wir?' meddai Arianrhod, yn wên o glust i glust.

'Ia, wir, ac mae'n rhaid i ti gymryd arian pawb.'

'Beth ddylwn i ei wneud?' gofynnodd Lora.

Tudur Budr

'Mi gei di, ym . . . wneud yn siŵr mai dim ond un person sy'n mynd i mewn ar y tro.'

'Ond beth fyddi di'n gwneud, Tudur?'

'Fi? Ym, mi bicia i allan am ychydig i gael golwg o amgylch y ffair,' meddai Tudur.

'Eisteddwch chi i lawr a chymryd yr arian tan y do i'n nôl. O, a chofiwch ddweud wrth bobl mai dim ond anrhegion o'r sach maen nhw'n gallu eu dewis, ac nid y rhai sydd ar y llawr.'

'Pam?' holodd Arianrhod.

'Gan mai anrhegion y coblynnod ydi'r rheini.'

'Dwi'n goblyn,' gwenodd Arianrhod. 'Fi ydi'r Prif Goblyn.'

'Ia,' meddai Tudur, 'ond peidiwch â'u cyffwrdd nhw.'

'Pam?'

'Gan mai fi ydi'r bòs, a chan mai dyna'r hyn rydw i'n 'i ddweud,' meddai Tudur.

Diflannodd cyn i Arianrhod ofyn mwy o gwestiynau.

PENNOD 4

O'r diwedd roedd o'n rhydd! Gallai Arianrhod, a oedd yn ei addoli, edrych ar ôl Groto Siôn Corn er mwyn iddo fo gael cyfle i fwynhau'r ffair. Wedi'r cwbl, roedd o wedi gweithio'n galed am oriau yn cymryd arian gan bobl, ac felly roedd o'n haeddu ychydig o amser iddo'i hun.

Cafodd Tudur amser gwerth chweil yn mynd o gwmpas y stondinau. Prynodd fag o daffi triog, enillodd io-io a oedd yn goleuo i fyny ar stondin y Twba Lwcus a dyfalodd bwysau'r Pwdin Plwm Anferthol (tunnell). A dweud y gwir, roedd o'n mwynhau ei hun cymaint nes bod Groto Siôn Corn yn barod i gau pan ddaeth yn ei ôl.

Doedd Siôn Corn ddim yn edrych yn rhy hapus.

'Tudur! Lle ar wyneb y ddaear wyt ti wedi bod?' dwrdiodd.

'O, ym, dim ond picio allan am ychydig,' meddai Tudur, gyda'i geg yn llawn o daffi triog.

'Mi ddywedais i wrthot ti am aros wrth y drws, a pheidio â mynd a 'ngadael i ar fy mhen fy hun.'

'Wnes i ddim dy adael di ar dy ben dy hun,' meddai Tudur. 'Fe ges i rywun arall i gymryd fy lle i.'

'Do, Arianrhod Melys a'i ffrind. Roedden nhw'n gadael i bawb ddod i mewn am ddim.'

'Wir?' Edrychodd Tudur o amgylch y groto. Roedd y sach yn wag a'r llawr yn glir.

'Ym, ble mae'r holl anrhegion?' holodd Tudur, yn amlwg ar bigau'r drain.

'Mmm? Maen nhw wedi mynd i gyd. Ond rydw i wedi cadw un i ti – er, dwi'n amau'n fawr os wyt ti'n ei haeddu.'

Cipiodd Tudur yr anrheg oddi wrth ei dad. Trodd yr anrheg drosodd i chwilio am y cylch coch. Doedd dim cylch coch arni.

'Ble mae hi?' ebychodd.

'Ble mae beth?'

'Yr anrheg oedd yn fan'cw – ar ben y pentwr!'

'O, fe wnes i ei rhoi i un o'r merched,' meddai Dad. 'Roedden nhw'n benderfynol iawn. Doedden nhw ddim eisiau anrheg o'r sach – roedd yn well ganddyn nhw un o'r rhai arbennig ar gyfer coblynnod oedd ar y llawr.'

'NA!' llefodd Tudur.

'Beth sy'n bod? I ble rwyt ti'n mynd rŵan?'

Rhuthrodd Tudur allan o'r groto. Roedd yn rhaid iddo ddod o hyd i Arianrhod cyn ei bod hi'n rhy hwyr. Doedd dim golwg ohoni yn y neuadd. Nac yn y cyntedd. Yna, gwelodd hi y tu allan yn y cae chwarae gyda'i mam. Ac roedd yna anrheg dan ei chesail.

'Helô, Tudur!' canodd, wrth iddo redeg tuag ati.

'Mae'n rhaid i mi gael yr anrheg yna'n ôl . . . mae yna gamgymeriad wedi digwydd,' meddai Tudur allan o wynt. 'Fe gei di hon yn ei le o.'

'Dim diolch,' gwenodd Arianrhod.

'Mae hon yn well o lawer.'

'Dwi'n hoffi'r un sydd gen i. Siôn Corn roddodd hi i mi.'

Aeth Tudur i'w boced. 'Fe gei di hanner can ceiniog amdani,' cynigiodd.

Ysgydwodd Arianrhod ei phen.

'Hanner can ceiniog a bag o daffi triog. Mae yna ddau ddarn ar ôl.'

'Dim diolch.' Llygadodd Arianrhod anrheg Twba Lwcus Tudur. 'Ond does gen i ddim io-io . . .'

Cerddodd Arianrhod yn hapus i lawr y ffordd, gan afael yn dynn yn ei gwobr newydd. Ochneidiodd Tudur. Roedd hi wedi bod yn agos iawn ond, diolch i'r drefn, roedd o wedi ei gael, o'r diwedd. Ei Wy Arallfydol ei hun. Roedd o'n edrych ymlaen cymaint i gael cyrraedd adref a'i roi mewn dŵr.

Edrychodd ar y papur lapio er mwyn gwneud yn siŵr. Dim cylch coch. Trodd yr anrheg drosodd. Roedd y papur wedi cael ei agor yn ofalus ar un ochr, ond dim cylch coch.

Doedd bosib mai . . . fedrai hyn ddim digwydd iddo . . .

rhwygodd Tudur y papur,

a dod o hyd i

Ffon Hud

Tylwythen

Deg.

Tudur Budr

'ARIANRHOD!' bloeddiodd Tudur.

Trodd Arianrhod a chodi ei llaw arno wrth iddi gerdded ling-di-long gyda Lora. Gwelodd Tudur rywbeth yn nwylo Lora – rhywbeth llyfn, crwn lliw arian. Hyd yn oed o'r pellter hwnnw, roedd o'n gwybod yn union beth oedd yn ei llaw . . .

CRACYRS!

PENNOD 1

'O na!' meddai Mam, wrth roi'r ffôn yn ôl yn ei chrud. 'Mae Hen Fodryb Harriet yn dod i dreulio'r Nadolig hefo ni!'

'Dwyt ti ddim o ddifri'!' meddai Dad.

'Mae gen i ofn 'mod i,' ocheneidiodd Mam. 'Bydd hi'n cyrraedd Noswyl Nadolig.'

Ysgydwodd Dad ei ben. Rowliodd Siwsi ei llygaid. Roedd ceg Tudur yn llydan-agored erbyn hyn a disgynnodd darn o dost ohoni ar y bwrdd. Llyfodd y bwrdd yn lân eto cyn i neb sylwi.

'Beth am Modryb Mai?' meddai Dad. 'Mae Hen Fodryb Harriet wastad yn aros hefo hi.'

'Mae cefn Modryb Mai yn ddrwg,' meddai Mam.

'Beth am Ewythr Ed?'

Ysgydwodd Mam ei phen. 'Mae o'n mynd â Nain ar ei gwyliau dros y môr.'

'Mae'n rhaid bod yna rywun fyddai'n medru ei chymryd hi!'

'Na, does yna neb! Mae pawb naill ai ar eu gwyliau neu'n sâl.'

'Pam na ddywedi di wrthi ein bod ni'n sâl?' awgrymodd Tudur.

'Ond dy'n ni ddim yn sâl, ŷn ni, Tudur?'

'Mi fyddwn ni os bydd hi'n dod yma,' meddai Tudur. 'Mae hi'n ddigon i roi cur pen i unrhyw un.'

Syllodd Tudur ar y plât diflas o'i flaen.

Doedd hyn ddim yn deg. Roedd o wedi bod yn edrych ymlaen at y Nadolig ers wythnosau, ond rŵan roedd popeth ar fin cael ei ddifetha. Waeth iddyn nhw ohirio'r Nadolig ddim.

Roedd Hen Fodryb Harriet tua chan mlwydd oed ac yn fwy diflas na bore dydd Llun gwlyb. Y tro diwethaf iddi ddod draw i aros fe wnaeth hi gwyno a thuchan am bopeth. Roedd hi'n dynn â'i harian hefyd. Roedd Dad yn dweud fod ganddi glo mawr haearn ar ei phwrs. Roedd pob modryb ac ewythr arall yn tueddu i roi papur deg punt mewn cerdyn Nadolig, ond nid felly Hen Fodryb Harriet.

'Wel, chaiff hi ddim cysgu yn fy stafell i,' meddai Siwsi.

'Bydd yn rhaid iddi,' atebodd Mam. 'Mae 'na ormod o lanast yn stafell Tudur.'

'Ond lle fydda i'n cysgu?'

'Ar y gwely gosod yn stafell Tudur.'

'NA!' llefodd Siwsi. 'Mae ei stafell o'n drewi!'

'Ti ydi'r un sy'n drewi,' meddai Tudur.

'Ti sy'n drewi!'

'Ti sy'n drewi!'

'Dyna ddigon!' gwaeddodd Mam. 'Mae Hen Fodryb Harriet yn dod yma a bydd yn rhaid i

ni wneud y gorau o'r sefyllfa. Felly, byddai'n well i chi ddechrau meddwl am anrheg Nadolig addas iddi hi.'

'Pam?' meddai Tudur. 'Dydi hi byth yn prynu anrheg i mi.'

'Nonsens, fe wnaeth hi anfon anrheg atat ti y llynedd.'

'Hy!' gwawdiodd Tudur. 'Fedri di ddim galw hwnnw'n anrheg!'

Roedd Hen Fodryb Harriet wedi anfon llyfrnod Adar Prydain ato. Ac roedd y label ugain ceiniog yn dal arno.

'A ph'run bynnag,' meddai Mam, 'does dim rhaid i'r anrheg fod yn un ddrud. Y syniad sy'n bwysig.'

Ochneidiodd Tudur yn ddwfn. Dim ond ychydig ddyddiau oedd i fynd tan y Nadolig a doedd o heb brynu'r un anrheg i'w deulu eto.

Rŵan roedd yn rhaid iddo feddwl am anrheg i'w Hen Fodryb Harriet, hefyd. Ac roedd ganddo broblem arall – y tro diwethaf iddo gyfrif, dim ond hanner can ceiniog oedd ganddo yn ei gadw-mi-gei.

Y diwrnod wedyn, roedd Tudur yn dilyn ei fam o amgylch y siopau, yn chwilio am anrhegion. Ond, oni bai eich bod chi'n hoffi clipiau papur, doedd yna ddim llawer o bethau y gallech eu prynu am hanner can ceiniog. Roedd o ar fin rhoi'r ffidl yn y to pan welodd rywbeth yn ffenest y siop gornel. Bocs o gracyrs mawr coch llachar. Roedd Tudur wrth ei fodd yn tynnu cracyr. Roedd o wrth ei fodd â'r anrhegion, y jôcs, yr hetiau papur, a'r glec fawr wrth i chi eu tynnu nhw. Yr unig broblem oedd y byddai bocs o gracyrs yn costio tipyn mwy na hanner can ceiniog.

Tudur Budr

Pwysodd Tudur ei drwyn yn erbyn y ffenest. Yn sydyn, cafodd syniad penigamp. Pam talu am gracyrs pan allai o wneud eu rhai ei hun yn ddigon hawdd? Wedi'r cwbl, roedd ei fam wedi dweud mai'r syniad oedd yn bwysig – a syniad hollol wreiddiol Tudur, a neb arall, fyddai hwn.

PENNOD 2

Yn ôl yn ei ystafell roedd Tudur wedi bod yn chwilio a chwalu am ei lyfr *101 o Bethau Creadigol i'w Creu.* Daeth o hyd i bennod 'Creu Cracyrs' ar dudalen 48. Roedd o'n edrych yn hawdd. Y cwbl oedd ei angen arno oedd glud, rhuban, papur lliw a llond llaw o roliau papur tŷ bach.

Torchodd Tudur ei lewys yn barod i ddechrau ar y gwaith. Collodd dipyn o'r glud ar y llawr yn ddamweiniol ac aeth un cracyr yn sownd yn y carped ond, ar y cyfan roedd y canlyniadau'n ei blesio. Cyn pen dim roedd ganddo bum cracyr tew, oren a gludiog. Y cam nesaf oedd eu llenwi nhw. Chymerodd hi fawr o amser iddo wneud yr hetiau papur – roedd Tudur yn hen law ar dorri papur. Roedd o hefyd yn gwybod am filiynau o jôcs doniol fyddai'n wych ar gyfer cracyrs. Ysgrifennodd rai ohonynt ar ddarnau o bapur . . .

BETH SYDD WASTAD YN RHEDEG, OND YN METHU CERDDED?

Trwyn Dyfan-Gwybod-y-Cyfan!

BETH YDACH CHI'N GALW SIOE NADOLIG SÂL?

PANTS-omeim!

I mewn i'r cracyrs â nhw. Y cwbl oedd ei angen arno rŵan oedd anrhegion. Aros funud – beth am y stwff oedd ganddo yn ei Focs Hollol Gyfrinachol? Llusgodd Tudur y bocs allan o dan ei wely. Perffaith! Roedd o'n llawn o

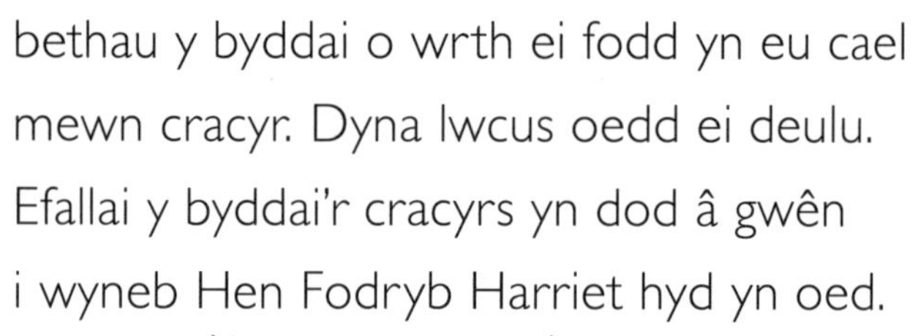

bethau y byddai o wrth ei fodd yn eu cael mewn cracyr. Dyna lwcus oedd ei deulu. Efallai y byddai'r cracyrs yn dod â gwên i wyneb Hen Fodryb Harriet hyd yn oed.

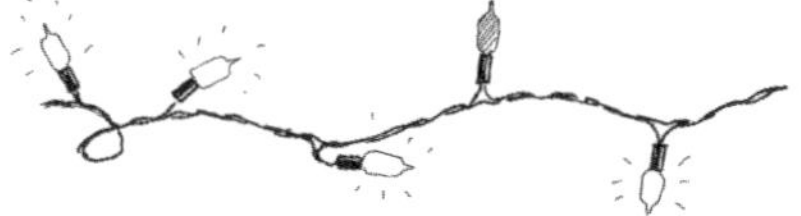

DING DONG! Roedd Hen Fodryb Harriet wrth y drws.

'Helô! Mae'n braf eich gweld chi eto,' meddai Mam yn siriol. 'Sut siwrnai gawsoch chi?'

'Hir,' gwgodd Hen Fodryb Harriet. 'A blinedig. Mae gen i'r cur pen mwyaf dychrynllyd.'

'Wel, r'ych chi yma rŵan,' meddai Mam. 'Mae'r plant wedi bod yn edrych ymlaen yn arw at eich gweld chi.'

'Do,' meddai Tudur. 'Pryd fyddwch chi'n gadael?'

'Tudur,' meddai Mam yn sydyn, 'beth am i ti gario bagiau Hen Fodryb Harriet i fyny i'w stafell wely? Dwi'n gobeithio'ch bod chi'n barod am fwyd – dw i wedi cadw ychydig o swper i chi.'

'Hy. Beth gawsoch chi?'

'Pasta.'

'Dwi ddim yn hoffi pasta. Mae o'n rhoi gwynt i mi,' meddai Hen Fodryb Harriet. ''Chydig o gawl llysiau fyddai'n braf – ond ddim yn rhy boeth.'

Eisteddodd pawb o amgylch y bwrdd wrth i Hen Fodryb Harriet slochian y cawl i lawr ei chorn gwddf. Ar ôl hynny, fe aeth i eistedd yn y parlwr, yn cwyno am y tywydd, y trên a chostau'r Nadolig.

'Wel,' meddai o'r diwedd. 'Amser gwely.'

'Be?' meddai Tudur.

Edrychodd Mam ar y cloc. 'Mae hi'n naw o'r gloch.'

'Ond rydan ni'n cael aros yn effro'n hwyrach ar Noswyl Nadolig!' protestiodd Tudur.

Cliciodd Hen Fodryb Harriet ei thafod.

'Mae plant y dyddiau yma'n cael aros ar eu traed yn rhy hwyr o lawer.'

'Gawn ni chwarae gêm?' holodd Tudur.

'Na chawn wir. Mae gêmau'n swnllyd.'

'Neu wylio ffilm?'

'Dw i ddim yn hoffi ffilmiau.'

'Ond . . . mae hi'n Noswyl Nadolig,' cwynodd Tudur. 'Dwi isio aros yn effro i weld Siôn Corn.'

Edrychodd Hen Fodryb Harriet i lawr ei thrwyn arno. 'Dydi Siôn Corn ddim yn dod i weld plant bach drwg,' meddai. 'Mae plant bach da yn mynd i'w gwlâu pan mae eu rhieni'n dweud.'

Llusgodd Tudur ei hun i fyny'r grisiau. Hwn fyddai'r Nadolig gwaethaf erioed.

PENNOD 3

Saethodd Tudur allan o'i wely. Roedd hi'n fore Dydd Nadolig! Bu bron iddo faglu dros Siwsi yn ei frys i gyrraedd y drws.

Rhedodd i lawr y grisiau gan sbecian heibio i ddrws y parlwr. Hwrêêêêê! Roedd ei hosan yn orlawn o anrhegion. Ond ble roedd pawb?

'Deffrowch!' bloeddiodd Tudur, gan ruthro i ystafell ei rieni a neidio ar y gwely.

Tudur Budr

Rhwbiodd Mam ei llygaid.

'Hmmm? Faint o'r gloch yw hi?'

'Mae'n amser agor yr anrhegion!' gwaeddodd Tudur. 'Ga i agor f'anrhegion i?'

Edrychodd Mam ar y cloc larwm gyda golwg flinedig ar ei hwyneb.

'Tudur! Mae'n bump o'r gloch y bore!'

'Yndi? Ga i agor f'anrhegion?'

'Na, dos 'nôl i'r gwely! A dydw i ddim eisiau clywed smic gen ti eto tan ei bod hi wedi saith o'r gloch.'

Stompiodd Tudur yr holl ffordd 'nôl i'w ystafell wely. Rhythodd ar y cloc larwm. TIC, TIC, TIC. Oedd yn rhaid i bob cloc symud mor araf? Roedd y munudau'n mynd heibio'n arafach na malwen.

O'r diwedd, cyrhaeddodd bysedd y cloc saith o'r gloch.

'Mae'n amser codi!' gwaeddodd Tudur, gan ruthro i ystafell ei rieni eto. 'Ga i agor f'anrhegion rŵan?'

Ochneidiodd Dad. Cododd Mam ar ei heistedd yn y gwely.

'Iawn. Ydi Hen Fodryb Harriet wedi deffro?'

Roedd Tudur wedi anghofio popeth am ei hen fodryb hyll. Aeth i glustfeinio y tu allan i'w drws a gallai ei chlywed hi'n rhuo chwyrnu.

'Mae hi'n cysgu,' meddai.

'Wel, fedrwn ni ddim agor yr anrhegion hebddi hi. Mi fuasai hynny'n anghwrtais,' meddai Mam.

Tudur Budr

'BE'?' taranodd Tudur. 'Ond mae hi'n fore Dydd Nadolig! Beth am i ni ei deffro hi?'

'NA, TUDUR!'

Daeth Siwsi i mewn yn ei gŵn gwisgo. 'Ydan ni'n cael agor ein hanrhegion?'

'Na,' meddai Tudur yn ddigalon. 'Mae'n rhaid i ni aros am Hen Fodryb Harriet.'

Camodd Tudur yn ôl ac ymlaen ar hyd llawr y gegin tra oedd ei deulu'n bwyta'u brecwast. Aeth wyth o'r gloch heibio. Naw. Hanner awr wedi naw. Y ffordd roedd pethau'n mynd, byddai Dydd Nadolig drosodd cyn iddi hi ddeffro.

'Ga i ei deffro hi *rŵan?*' ymbiliodd Tudur.

'Efallai y gallai rhywun fynd â phaned o de iddi hi?' awgrymodd Dad.

'Mi wna i!' meddai Tudur.

Yn ffodus, roedd yna ychydig o de cynnes ar ôl yn y tebot. Tywalltodd Tudur ychydig o lefrith yn gyflym i gwpan. Ychwanegodd ychydig o de a llwyaid neu ddwy o siwgr. Yna brasgamodd i fyny'r grisiau.

BANG, BANG, BANG! Curodd ar ddrws yr ystafell wely.

'Pwy sy 'na?' meddai ei hen fodryb dan rwgnach.

'Tudur sy 'ma. Dwi wedi dod â phaned o de i chi.'

'Da iawn. Tyrd â fo i mewn.'

'Dolig Llawen!' canodd Tudur, gan gynnig y cwpanaid o de iddi.

Roedd Hen Fodryb Harriet yn gwisgo'i choban a'i *net* gwallt. Roedd hi'n edrych fel mymi hynafol.

'Hmm. Ydi o'n boeth?' holodd. 'Dydw i ddim yn hoff o baneidiau sy'n rhy boeth.'

'Beth am i chi ei yfed o i lawr y grisiau?' awgrymodd Tudur yn obeithiol. 'Rydan ni'n barod i agor ein hanrhegion.'

'Mae plant y dyddiau yma'n cael gormod o anrhegion o lawer,' meddai Hen Fodryb Harriet dan rwgnach.

Llowciodd lond ceg o'r te a bu bron iddi dagu. 'YYYYCH! Mae hwn yn oer!'

'Ydi o?' gofynnodd Tudur. 'Sori, mae'n rhaid ei fod o wedi oeri tra oedden ni'n aros amdanoch chi.'

PENNOD 4

Arhosodd Tudur. Ymolchodd Hen Fodryb Harriet, gwisgo amdani, bwyta ei brecwast cyn mynd 'nôl i fyny'r grisiau i olchi ei dannedd. O'r diwedd, roedd Tudur yn cael agor ei anrhegion. Cafodd gêm fwrdd Gyrfa Chwilod gan Ewythr Ed, £20 gan Fodryb Mai a fflachlamp boced gan Hen Fodryb Harriet.

'Dydi hi ddim yn gweithio!' meddai.

'Wnaiff hi ddim gweithio heb fatris,' meddai Hen Fodryb Harriet. 'Bydd yn rhaid i ti gynilo dy arian i brynu rhai.'

Yn ffodus, roedd ei nain wedi prynu rhywbeth oedd yn gweithio iddo. Car Campau Cyflym. Fedrai Tudur ddim aros i gael chwarae ag o.

BÎB, BÎB, BÎB! WWW, WWW! CRASH!

Chwyrlïodd y car i'r parlwr, taro yn erbyn stand y teledu a throi tîn-dros-ben.

Anadlodd Hen-Fodryb Harriet yn ddwfn. 'Dwi'n gallu teimlo'r cur pen yn dod yn ei ôl,' cwynodd.

'Tudur,' ochneidiodd Mam. 'Diffodd y car.'

'Ond dim ond newydd ddechrau chwarae ag o ydw i,' meddai Tudur.

'Beth am i ti chwarae gyda rhywbeth arall?'

'Beth am y Gwn Gwallgo o'r Gofod?'

'Na, ddim fan hyn.'

'Ga i wylio'r teledu 'ta?'

Twt-twtiodd Hen Fodryb Harriet. 'Mae plant y dyddiau yma'n gwylio gormod o deledu o lawer.'

'Nes ymlaen, efallai,' meddai Mam. 'Pam na wnei di eistedd i lawr yn ddistaw a darllen llyfr am ychydig?'

Eisteddodd Tudur ar y soffa a phwdu. Pa fath o Nadolig oedd hwn os nad oedd o'n cael chwarae gyda'i deganau na gwylio'r teledu? Hoffai petai ei hen fodryb ddiflas yn mynd adref. Os oedd hi eisiau llonydd pam na fuasai hi'n mynd i eistedd mewn llyfrgell? Neu'n well fyth, mewn mynwent; efallai y byddai'n teimlo'n gartrefol yn fan'no.

NADOLIG LLAWEN

TIC, TIC, TIC. Llusgodd y munudau heibio mewn tawelwch. Roedd beiro Hen Fodryb Harriet yn hofran uwchben ei chroesair.

'Ydi hi'n amser cinio eto?' gofynnodd Dad yn obeithiol.

'Ddim am awr arall,' atebodd Mam.

'Wn i,' meddai Siwsi. ''Dan ni ddim wedi cael anrhegion Tudur eto . . . Neu wnest ti anghofio prynu rhai eleni?'

'Naddo, siŵr iawn,' meddai Tudur, a'i wyneb yn goleuo. 'Dwi'n cadw fy rhai i tan amser cinio.' Rhuthrodd i fyny'r grisiau i'w nôl nhw.

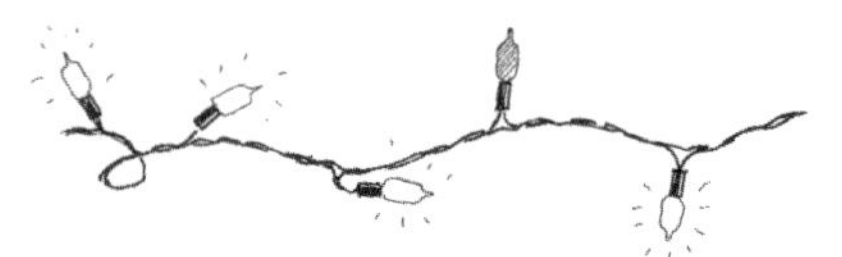

Am un o'r gloch galwodd Mam ar bawb i ddod i eistedd wrth y bwrdd. Roedd Tudur wedi gosod y bwrdd ar ei ben ei hun, ac wrth bob plât roedd un o'i gracyrs.

'Hmm, beth ydi hwn, tybed?' holodd Dad, gan godi lwmp gludiog yn ei law.

'Cracyr,' meddai Tudur. 'Fe wnes i nhw fy hun. Mae yna anrhegion a hetiau ac ati ynddyn nhw.'

'Am syniad hyfryd, Tudur!' meddai Mam, wedi gwirioni. 'Mae'n rhaid ei bod hi wedi cymryd hydoedd i ti wneud y rhain.'

Crychodd Hen Fodryb Harriet ei thrwyn.

'Gobeithio'n wir na fyddan nhw'n swnllyd,' mwmialodd.

'Na,' meddai Tudur. 'Do'n i ddim yn medru ffeindio stwff i wneud bang i'w roi ynddyn nhw. Ond peidiwch â phoeni, mi fedra i weiddi wrth i ni eu tynnu nhw.'

Gafaelodd pawb yn un pen o bob cracyr yn barod i'w tynnu.'

'Un, dau, tri . . . BANG!' gwaeddodd Tudur.

Rhwygodd y cracyrs yn eu hanner a saethodd anrhegion Tudur dros y bwrdd i gyd.

'Nefoedd yr adar!' meddai Mam. Roedd pâr o ddannedd Draciwla'n arnofio yn ei gwydr.

Tudur Budr

'Ych, am afiach!' meddai Siwsi, gan syllu ar y pw ci plastig ar ei phlât.

'Tudur!' ochneidiodd Dad, gan gydio mewn bys gwaedlyd.

'Maen nhw'n grêt, yn tydyn nhw?' meddai Tudur.

'Beth gawsoch chi, Hen Fodryb Harriet?'

Mwmialodd Hen Fodryb Harriet rywbeth dan ei gwynt. Doedd hi ddim yn medru siarad oherwydd roedd ei cheg yn llawn.

Yna'n sydyn, fe gofiodd Tudur. 'O ia, chi gafodd y fferins. Wnaethoch chi ddim eu . . . bwyta nhw, wnaethoch chi?'

Peidiodd Hen-Fodryb Harriet â chnoi. Trodd ei hwyneb yn wyn, yna'n binc, yna'n wyrdd. Chwyddodd ei llygaid, crynodd ei gwefusau. Roedd yna ffroth gwyn yn byrlymu o gorneli ei cheg.

'AAAAAA! OOOOO! YYYYYYCH!' llefodd, gan afael yn dynn yn eu gwddf a rhuthro o'r ystafell.

Tudur Budr

'D'ych chi ddim yn gadael yn barod?' meddai Mam. 'Beth am y cinio Nadolig?'

Cariodd Hen Fodryb Harriet ei bag tuag at y drws. 'Os y'ch chi'n meddwl 'mod i am aros fan hyn i gael fy sarhau fel hyn, yna r'ych chi'n anghywir!' meddai'n ffyrnig. 'Dw i'n mynd adref, a fydda i ddim yn dod yn ôl fan hyn. Byth eto!'

CLEC! Caeodd y drws yn dynn ar ei hôl.

Trodd pawb i edrych ar Tudur.

'O ran diddordeb,' meddai Dad, 'beth oedd yn y fferins yna?'

Llyncodd Tudur ei boer. 'Dwi'n meddwl efallai mai, ym, fferins sebon oedd wedi'i sgwennu ar y paced.'

Roedd Tudur yn barod i redeg o'r ystafell.

'O diar!' meddai Mam, gan wenu.

'Hen Fodryb Harriet druan! Roedd hynny'n hen dric gwael, Tudur.'

'Gwael iawn,' chwarddodd Dad. 'Rŵan 'ta, pwy sy'n meddwl y dylen ni fwyta'n cinio Nadolig o flaen y teledu?'

'HWRÊÊÊ!' bloeddiodd Tudur. Roedd hi am fod yn gracyr o Nadolig wedi'r cyfan.

Tudur Budr

DAVID ROBERTS • ALAN MACDONALD
ADDASIAD GWENNO MAIR DAVIES
Tudur Budr
Chwain!
DAVID ROBERTS • ALAN MACDONALD
ADDASIAD GWENNO MAIR DAVIES
Tudur Budr
Mwydod!
DAVID ROBERTS • ALAN MACDONALD
ADDASIAD GWENNO MAIR DAVIES
Tudur Budr
Pants!

DAVID ROBERTS • ALAN MACDONALD
ADDASIAD GWENNO MAIR DAVIES
Tudur Budr
Ych a fi!
DAVID ROBERTS • ALAN MACDONALD
ADDASIAD GWENNO MAIR DAVIES
Tudur Budr
Torri Gwynt!
DAVID ROBERTS • AMANDA LI
ADDASIAD GWENNO MAIR DAVIES
Tudur Budr
Fy Llyfr Stwnsh